D0832818

Ter nagedachtenis aan mijn goede vriend Pablo Prestifilippo

Eerste druk 2010
Derde druk 2011

ISBN 978 90 475 1180 9
NUR 282

Uitgeverij Unieboek | Het Spectrum bv, postbus 97, 3990 DB Houten

oorspronkelijke titel *El Señor G.*
oorspronkelijke uitgave © 2009 A Buen Paso, Barcelona, Spanje, www.abuenpaso.com
this book was negotiated through Sea of Stories Literary Agency, www.seaofstories.com, sidonie@seaofstories.com

www.van-goor.nl
www.unieboekspectrum.nl

tekst en illustraties Gustavo Roldán
vertaling Piet de Bakker
omslagontwerp Mat-Zet bv, Soest
zetwerk Mat-Zet bv, Soest

Gustavo Roldán

Uit het Spaans vertaald door Piet de Bakker

Van Goor

Meneer G. woonde in een
dorp, een heel stil dorp.

Hij was er geboren en getogen.

Dit is meneer G.:

En dit is het dorp:

Een klein en droog dorp
midden in een nog veel
drogere woestijn.

Alle mensen in het dorp vonden meneer G. aardig. Hij groette hen altijd zo vriendelijk.

'Hoe gaat het ermee?' zei hij dan.
En zij antwoordden hem:
'Heel goed. En met u?'

Dit zijn een paar van
die mensen:

Maar op een dag deed meneer G.
een beetje vreemd.

Eerst zagen ze hem zachtjes
in zichzelf mompelend over
straat lopen.

En toen het dorp uit gaan.

Een week later zagen ze hem terugkomen met een klein pakje en wat gereedschap.

De volgende dag ontdekten
twee mannen dat meneer G.
even buiten het dorp een gat
aan het graven was.

'Wat doet u, meneer G.?' vroeg de ene man.
'Ik ga een bloembol planten,' antwoordde meneer G.
'Hier? In de woestijn?' vroeg de ander.
'Ja, want het is veel te stil hier, niet alleen in de woestijn,
maar ook in het dorp. Met deze bloem ga ik voor een
beetje muziek zorgen.'
'Maar meneer G., u weet toch dat bloemen het niet
goed doen in de woestijn?' zei de eerste man.
'En dat ze geen muziek maken?' zei de tweede.
'Dat valt nog te bezien,' antwoordde meneer G.

En hij ging door met graven.

Terug in het dorp vertelden de mannen
wat meneer G. aan het doen was. Ze
zeiden dat hij gek geworden was.

En daar waren alle mensen uit het dorp
het mee eens.

'Ja,' zeiden ze. 'Meneer G. is gek geworden.'

Meneer G. zorgde heel goed voor het bolletje. Hij gaf het de schillen van de vruchten die hij at, beschermde het tegen de zon en gaf het de helft van zijn eigen schaarse drinkwater.

Dag en nacht was hij ermee in de weer.

Tot de bol op een dag begon uit te lopen.

De scheut groeide door de
goede zorgen van meneer G.
uit tot een knop.

En uit die knop...

PLOP!

…kwam een bloem tevoorschijn.

Nooit eerder had iemand zo'n bloem gezien.
Niet in de woestijn, en ook niet in het dorp.

Er kwamen meteen heel veel vogels op af.

Die begonnen naar hartenlust van de zaadjes te eten.

Ook de dorpsbewoners kwamen
van alle kanten toegesneld om te
kijken wat er gebeurd was.

En ze zeiden tegen meneer G.:

'Wat mooi, meneer G.'
'Al die vogeltjes, meneer G.'
'En wat hebben ze mooie
veren, meneer G.'

Maar meneer G. zei alleen:

'Stilte alstublieft. Luister.'

De vogels
waren één voor één gaan zingen.

En zongen nu met z'n allen tegelijk,
de grote stilte verbrekend.

De mensen uit het dorp
genoten stilletjes van het
vogelconcert.

Het ging zo:

Het concert was één groot luisterfeest. Het maakte een eind aan de stilte die zo lang in het dorp geheerst had. Nooit eerder had iemand zo'n concert gehoord. Niet in de woestijn, en ook niet in het dorp.

En meneer G. noemde het:

Woestijnconcert voor duizend vogels
en een bloem